BARCELONE

Photographies : Mario Sarria, J. M. Linares et archives photographiques FISA-ESCUDO DE ORO.

Texte littéraire, diagrammation et reproduction entièrement conçus et realisés par les équipes techniques d'EDITORIAL FISA ESCUDO DE ORO S.A.

Distributeur exclusif :
COMERCIAL ESCUDO DE ORO, S.A.
E-mail : cedosa@cedosa.net

⛉ ESCUDO DE ORO

BARCELONE

INTRODUCTION

Convoitée et conquise par plusieurs peuples depuis plus de 4 000 ans, Barcelone a toujours été une magnifique ville pleine de vie. Au long des siècles, celle que l'on connaît sous le nom de Ciutat Comtal, s'est distinguée par son activité et son esprit moderne qui l'ont située, très souvent, au front de nombreuses prouesses.

Elle sut voir, depuis des temps déjà lointains, une source de richesse et de possibilité dans son ouverture sur la mer. Barcelone connut ses meilleurs moments au Moyen Age, lorsqu'elle était une ville prospère qui vivait du commerce et au cours du XIXème siècle, durant lequel elle vécut un essor économique et démographique important. Cet essor obligea à démolir, en 1859, les murailles de la ville qui en freinaient le développement. Cette époque de splendeur fut couronnée par l'organisation des Expositions universelles qui se déroulèrent en 1888 et 1929, dates fondamentales pour une compréhension du profil actuel et l'urbanisation de la ville. Barcelone possède aussi un riche patrimoine monumental, artistique et historique que nous pourrions diviser en deux grands blocs : le Barri Gòtic (quartier gothique), avec la cathédrale, l'hôtel de ville et le palais de la Generalitat, siège du gouvernement autonome catalan et les travaux réalisés par l'admirable architecte moderniste Antoni Gaudí qui laissa à Barcelone la majorité des témoignages de son génie exceptionnel : la Sagrada Familia, le Parc Güell ou la maison Milà connue sous le

Vue aérienne partielle. On remarque le Temple de la Sagrada Familia et la Tour Agbar.

Temple romain d'Auguste.

nom de La Pedrera. D'autre part, nous avons l'héritage et la tradition culturelle et artistique de la ville qui lui permet d'avoir de nombreux musées aussi intéressants que celui de Picasso et celui d'Art de la Catalogne.

Durant des années, à cause de l'expansion industrielle de la moitié du XIXème siècle, la ville tourna le dos à la mer. Mais les Jeux Olympiques de 1992 organisés par la ville (les meilleurs de l'histoire moderne de cette compétition d'après tous les avis) ont permis à Barcelone de récupérer sa façade maritime. Son port est actuellement le plus important de la Méditerranée et ses plages mesurent 5 km.

Commentaires des Usages. Jaume Marquilles, XVème siècle. Musée d'Histoire de la Ville.

La Cathédrale et le Barri Gòtic

La construction de la **Cathédrale** commença en 1298 sur les ruines d'une antérieure cathédrale romane qui à son tour se dressait sur une chapelle paléochrétienne du IVème siècle. Elle fut achevée, en style gothique, en 1459 bien que la façade principale et la lanterne ne furent réalisées qu'à la fin du XIXème siècle. A l'intérieur nous visiterons la **Crypte de sainte Eulalie** située sous le presbytère, avec une curieuse voûte presque plate divisée en deux arcs et sous laquelle repose le sarcophage de la sainte. Cette sépulture date du XIVème siècle et elle est soutenue part des colonnes lisses en albâtre taillé. Nous admirerons en outre les **stalles du Choeur** avec leur peinture et leur orfèvrerie et la **Salle capitulaire** dans laquelle on vénère le Christ de Lépante qui se trouvait dans la nef de Jean d'Autriche durant la bataille de Lépante. Aux côtés du maître-autel de cette cathédrale, consacré en 1337, se dresse un retable en bois

La Cathédrale.

Crypte de Sainte Eulalie et détail de la clef de voûte, consacrée à « la Vierge de la Miséricorde ».

qui date du XVème siècle. Plus d'une porte d'entrée nous conduira à l'intérieur de la cathédrale. La **porte de Sant Iu**, la plus ancienne, dans l'actuelle rue dels Comtes et celles de **Santa Eulàlia, Santa Llúcia** et de **la Piété**. Elles s'ouvrent toutes sur le beau **cloître** (XIVème siècle) entouré de chapelles tournées vers la cour intérieure. La **chapelle de Santa Llúcia** date de 1268. En 1929, la Cathédrale de

Nef centrale de la Cathédrale.

Porte de Sant Iu.

Barcelone fut déclarée Monument his-torico-artistique d'intérêt national. Tout autour de la cathédrale barcelonaise se dressent de belles constructions in-signes qui forment le vieux centre de la ville, le quartier connu sous le nom de **Barri Gòtic**. Juste en sortant de la ca-thédrale, sur la Place de la Seu, s'élève la **Pia Almoina** (« Pieuse Aumône », da-tant du XVème siècle et construite pour accueillir cette institution bénéfique), qui est aujourd'hui le siège du **Musée Diocésain**. En empruntant la rue des Comtes, nous arrivons à la Place Sant Iu, sur laquelle se trouve le **Musée Frederic Marès**, où sont exposées les collections

Chapelle de Santa Llúcia.

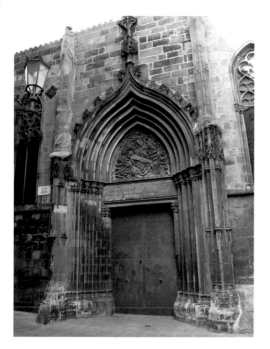

Porte de la Piété.

Cloître.

Musée Frederic Marès.

Place du Roi et Salon du Tinell.   Chapelle de Sainte Àgueda.

Musée d'Histoire de la Ville.

réunies par cet artiste (nous pouvons tout spécialement citer la section des sculptures, dont les œuvres vont de la période pré-romaine au début du XXème siècle, et celle des objets portant sur la vie quotidienne). Un peu plus loin, nous trouvons l'historique **Place du Roi**, un centre médiéval composé du **Palau del Lloctinent** (« Palais du Lieutenant », datant du XVème siècle, mais réformé au XIXème siècle), de la **Tour-mirador du roi Martin** (construite en 1555), du **Palau Reial Major** (« Palais Royal Major », qui remonte au XIème siècle et où se trouve le grand Salon du Tinell) et de la **Chapelle de Sainte Àgueda** (de style gothique et datant du XIVème siècle, qui conserve l'une des pièces les plus remarquables de la peinture gothique catalane : le Retable du

Connétable). La visite de ces trois derniers bâtiments est incluse dans la route que propose le **Musée d'Histoire de la Ville**, installé dans la Maison Padellàs, près de la Place du Roi, parcours qui comprend aussi le sous-sol de la place, avec des restes romains, et les fondations de la cathédrale datant de la période visigoth. Juste en face de la chapelle de Santa Llúcia de la cathédrale se dresse la **maison de l'Ardiaca** qui forme, avec la **maison du Degà**, un ensemble unique, une construction commencée au XIIème siècle, sur une partie de l'ancienne muraille romaine. Tout à côté, la **rue du Bisbe** avec le **palais Episcopal** et la **maison des Chnoines**. Cette ruelle étroite débouche sur la grande **Place de Sant Jaume**. C'est là que sont plantés, l'un

Maison de l'Ardiaca.

en face de l'autre, la **Mairie** (avec le salon de Cent et celui des Sessions) et le **palais de la Generalitat** (avec le salon de Sant Jordi ou le Pati dels Tarongers, cour des Orangers).

Rue du Bisbe : pont néogothique.
Palais Episcopal.

Mairie de Barcelone.

La Place Sant Jaume et le Palais de la Generalitat.

Generalitat de Catalunya : cloître gothique.

Perspective de la rue Montcada.

Entrée du Musée Picasso.

Musée Picasso dans la Barcelone médiévale

Montcada est une rue accueillante dont les origines remontent au XIIème siècle, lorsque les classes dominantes voulurent rattacher le vieux quartier à la zone maritime. La rue devint alors le centre de la vie seigneuriale barcelonaise du XIVème au XVIIIème siècle. On y construisit de très beau palais. La rue Montcada est actuellement un centre d'architecture civile médiévale qui n'a pas son pareil dans toute la ville. Le **Musée Picasso**, très fréquenté et complet du point de vue des œuvres qu'il expose, occupe les anciens palais de Berenger d'Aguilar, du Baron de Castellet et la Meca ; il a récemment été agrandi avec les maisons-palais Mauri et Finestres. Le Musée Picasso a été inauguré en 1963 grâce à une dona-

tion de Jaume Sabater, ami du peintre, puis agrandi quelques années plus tard grâce aux apports de Picasso lui-même et des membres de sa famille.

Dans la rue Montcada, nous pouvons également trouver d'autres palais tels que la **Casa de la Custòdia** (« Maison de la Custode »), face à la **Chapelle de Marcus** (romaine) ; le **Palais des Marquis de Lló**, siège du **Musée Textile et Vestimentaire** ; le **Palais Nadal**, siège du **Musée Barbier-Mueller d'Art Précolombien** ; le **Palais Dalmases**, siège de l'**Omnium Culturel**, et la **Maison Cervelló-Guidice**, siège de la **Galerie Maeght**. Au bout de la rue, la Place de Santa Maria avec l'**église de Santa Maria del Mar**, la plus parfaite des églises gothiques catalanes, construite entre 1329 et 1384, durant le règne d'Alphonse IV. La construction a été déclarée en 1931 Monument historico-artistique d'intérêt national.

Chapelle de Marcus.
Église de Santa Maria del Mar.

Musée Barbier–Mueller d'Art Précolombien.
Nef principale de Santa Maria del Mar.

Place de Catalunya et fontaine de Canaletes.

Les Ramblas

Les Ramblas de Barcelone naissent à la **Place de Catalunya**, centre de la ville. A l'origine, cette rambla n'était autre qu'un torrent qui déboulait à l'extérieur des murailles de la ville. La croissance démographique du XVIIIème siècle rendit insuffisante la capacité de la ville et il fallut alors démolir les murailles. C'est alors que naquit une promenade qui a aujourd'hui une renommée mondiale. Sur l'allée centrale les kiosques se succèdent, fleurs, animaux, presse, viennent ensuite les terrasses et ensuite les stands de vendeurs ambulants, les diseurs de bonne aventure, les tireuses de cartes, les artistes qui improvisent leur spectacle et que nous retrouverons sur la plaça del Pi. Les Ramblas commencent juste à la **Fontaine**

de Canaletes, forgée en fer au siècle dernier et dont on dit que « qui boit de son eau reviendra à Barcelone ».

Sur notre parcours nous trouverons de beaux exemples de l'architecture civile du XVIIIème siècle. Signalons la Reial Acadèmia de Ciències i Arts qui abrite aujourd'hui le **Théâtre Poliorama**, l'ancien siège de la **Compañía de Tabacos de Filipinas** ou le **palais Moja** (à l'angle de la rue très commerçante de Portaferrissa) où vécut le poète Verdaguer sous la protection des marquis de Comillas. N'oublions pas l'**église de Bethléem**, une des rares églises baroques de la ville. Un peu en retrait des Ramblas se dresse l'intéressant ensemble

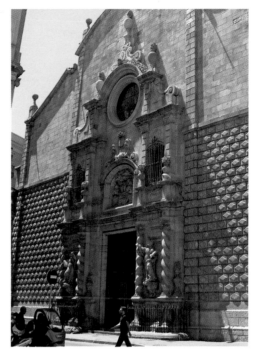

Un aspect des Ramblas.

Patio de l'Ancien Hôpital de la Santa Creu.

Palais de la Virreina.

architectural de l'**Ancien Hôpital de la Santa Creu**, du XVème siècle et qui accueille actuellement des institutions catalanes telles que la **Bibliothèque de Catalunya**, l'**Institut d'Estudis Catalans** ou l'**Acàdemia de Medicina** à l'intérieur de la **Casa de la Convalescència**.

Le **palais de la Virreina** est un véritable joyau architectural que les barcelonais admirent sur la Rambla. Avec son style baroque et sa décoration rococo, il est considéré l'exemplaire le plus parfait et le mieux achevé de l'architecture civile catalane du XVIIIème siècle. L'ensemble fut déclaré Monument historico-artistique d'intérêt national en 1941. Un peu plus bas, le populaire **Marché de la Boqueria** (dont le vrai nom est Marché de Sant Josep), nous surprendra par deux aspects : architecturalement, c'est un édifice moderniste du XVIIIème siècle, et socialement c'est un centre riche et naturel, plein de vie et de couleur. L'hommage citadin à ce marché se trouve au **Pia de l'Os**, oeuvre de Miró réalisée sur le sol de cette promenade bruyante.

Avant d'entrer sur la Plaça Reial nous pourrons admirer la façade du **Gran Teatre del Liceu**, qui fait la fierté culturelle de la société barcelonaise. Inauguré en 1847, tout son intérieur a succombé au désastre d'un incendie s'étant produit en 1994, auquel n'a échappé que la façade donnant aux Ramblas. Après une période intense de travaux, ayant notamment donné lieu à l'extension du bâtiment situé au sud, il a été inauguré en 1999.

D'autre part, la **Plaça Reial (Place Royale)** représente un des espaces les plus traditionnels de la ville. L'espace intérieur est entouré par des blocs de maisons qui reposent sur de belles arcades clas-

Marché de la Boqueria.
Pla de l'Ós : mosaïque de Miró.

Gran Teatre del Liceu.

Palais Güell.

siques qui abritent les terrasses des bars et des cafés qui se succèdent et qui donnent une bonne ambiance. Au centre de la place, le bassin avec les Trois Gloires et, tout autour, les réverbères dessinés par Gaudí.

Face à cette place, dans la rue Nou de la Rambla, un trésor de l'architecture : le **palais Güell**, oeuvre de Gaudí. A l'intérieur, remarquons les mosaïques des cheminés et les arcs de la façade. Cet édifice fut déclaré Monument historico-artistique d'intérêt national en 1969 et en 1984, l'Unesco l'intégra dans le catalogue du bien culturel du patrimoine mondial.

Au bout des Ramblas se dresse le **Théâtre Principal** (XVIème siècle) qui fut le premier à ouvrir ses portes à Barcelone et qui conserve encore sa façade. Et enfin, face au **Centre d'Art de Santa Mònica**, un des musées préférés des barcelonais, le **musée de Cire** (installé dans un bel édifice du siècle dernier) qui naquit d'une idée de son fondateur, le cinéaste Enrique Alarcón.

Au Raval, un des quartiers les plus remaniés de Ciutat Vella, nous trouverons le moderne **Musée d'Art Contemporain de Barcelone (Macba)**. La place dels Angels accueille cet édifice construit par l'architecte nord-américain Richard Meier. Les travaux commencèrent en 1990 et s'achevèrent au printemps 1995. Le quartier est un véritable labyrinthe dans lequel la silhouette architecturale, complexe et moderne du Macba crée un grand contraste. Les formes de cette construction vont des éléments plats à des espaces curvilignes, répondant à l'esprit contemporain de la collection du musée. Le fonds du musée est composé par des oeuvres réunies par la Fondation Museu d'Art Contemporani, une collection qui s'élargit grâce à ce qu'apporte le secteur privé et à une équipe qui font du Macba un lieu de référence indispensable dans le panorama artistique et culturel de Barcelone.

Place Royale.

Musée d'Art Contemporain de Barcelone (Macba).

Drassanes (chantiers navals).

Sant Pau del Camp, Colomb et ses alentours

La ville primitive naquit sur les bords de la mer et connut son époque de splendeur au Moyen Age, lorsque ses chantiers navals construisaient de grandes nefs. Tout près de ces anciens chantiers navals commence l'une des avenues les plus connues et qui fut, durant longtemps, le centre des spectacles et des plaisirs. C'est sur ce **Paral.lel**, avec les cabarets les plus connus de la ville, le Molino (fermée en 1999), le Teatre Arnau ou l'Apolo, que nous serons surpris par

Église de Sant Pau del Camp.

la présence d'une belle **église de Sant Pau del Camp**, ancienne abbaye bénédictine du Xème siècle, exemplaire du roman catalan du XIème siècle ou peut-être même antérieur comme pourrait nous le faire penser une pierre sépulcrale de Wilfred II de l'an 912. Le cloître intérieur est le seul exemplaire de roman catalan connu. Il a des arcs trilobés. Il fut déclaré en 1879 Monument d'intérêt national.

Sur la place du Portal Nou, sur la promenade maritime de Barcelone, se dresse le **monument à Colomb** qui nous rappelle sa visite à la ville lorsque, après la découverte d'Amérique, il se présenta devant les Rois Catholiques afin de leur présenter ses découvertes. Ce monument fut construit à l'occasion de l'Exposition universelle qui eut lieu à Barcelone en 1888. Un ascenseur nous conduira au sommet de la tour (87 m) couronnée par la statue du navigateur. Depuis là-haut nous aurons une belle vue sur la ville et sur sa façade maritime.

Tout près de là se trouvent les **Drassanes**, le meilleur ensemble de chantiers navals du monde entier. Ils furent construits au XIVème siècle et c'est de là que partirent, au Moyen Age, des nefs qui participèrent aux batailles les plus célèbres. Tout près, nous pourrons voir des ruines de murailles de cette époque. A l'intérieur, le **musée maritime** conserve de

Vue du port : monument à Colomb et centre ludique Maremagnum.

Moll de la Fusta.

spectaculaires embarcations des XIVème et XVème siècles.

Le Moll de Bosch i Alsina, plus connu sous le nom de **Moll de la Fusta** (quai du bois) commence aux pieds du monument à Colomb. Il doit son surnom au fait que c'est ici que l'on stockait le bois. Il n'y a pas très longtemps que cet endroit a été transformé en un espace de loisir ouvert sur la mer et avec une partie postérieure parcourue par des voies rapides de circulation.

Sans vues sur la mer mais tout près des quais, se trouve l'**église de la Mercè**, basilique qui appartenait, vers 1835, à un couvent de l'ordre de la Merci et qui pro-

Église de la Mercè.

Bâtiment de la Poste.

tège aujourd'hui la patronne de la ville de Barcelone, la Vierge de la Merci, représentée par une belle statue gothique. Dans cette zone aussi nous pourrons admirer le monumental édifice de **Correus (la Poste)**, au bout de la Via Laietana. C'est une construction du début du siècle qui dresse, face à la mer, ses deux tours.

Sur la placette du Pla de Palau se trouve la **Llotja** qui fut, au Moyen Age, un dépôt de marchandises et un centre de commerce d'une très grande importance pour la ville (il fut déclaré Monument historico-artistique en 1931).

Devant le Passeig de Isabel II, les **Porxos d'en Xifré** (porches), ensemble de maisons dont la base est formée par 21

Porxos d'en Xifré.

porches avec des arcades sur lesquelles se dressent les trois étages à balcons de l'édifice. Et la zone est couronnée part le **quartier de la Barceloneta** qui a conservé, malgré le remaniement réalisé à l'occasion des Jeux Olympiques, tout son parfum maritime.

Vue aérienne du Parc de la Ciutadella.

La Ciutadella, poumon vert de la ville

Le **Parc de la Ciutadella** est la seconde zone jardinée de Barcelone. La construction du parc commença en 1871 sur les terrains qu'avaient occupés les armées de Philippe V lors de leur passage à Barcelone. Il fut protagoniste de l'Exposition Universelle de 1888.

L'ensemble des promenades, des allées et des jardins naissent au centre de l'ancienne place d'Armes, couronnée par un étang ovale sur lequel repose « Desconsol » (Désolation), la sculpture la plus célèbre de l'artiste Josep Llimona et qui se trouve devant le **Parlement de la Catalogne**. Tout près, sur une esplanade, la **Fontaine de la Cascade**, dessinée par Fontseré en collaboration avec Gaudí, est un ensemble architectural et sculptural de style français. Nous pouvons voir, parmi les sculptures disséminées dans le parc celle de la « Dama del paraigües » (la dame au parapluie).

A l'intérieur du parc, deux importants musées scientifiques : le **Musée de Géologie** et le **Musée de Zoologie**. Ce dernier se trouve dans le bâtiment moderniste que

« Desconsol », œuvre de Josep Llimona. Derrière la sculpture, le siège du Parlement de la Catalogne.

Fontaine de la Cascade.

Musée de Géologie et la Serre d'hiver (Hivernacle).

Domènech i Montaner projeta à l'origine comme restaurant de l'Exposition. Les autres intéressants travaux modernistes du parc sont la **Serre** (Hivernacle), de Josep Amargós et l'**Umbracle** (Serre ombragée), de Fontserré.

Le **Zoo de Barcelone** enfin est un autre des endroits intéressants de ce parc. Il est considéré parmi les meilleurs d'Europe et il est donc intéressant de le visiter. Inauguré en 1894, sont hôte le plus illustre fut le gorille albinos Floquet de Neu (Flocon de Neige), le seul primate ayant ces caractéristiques au monde. Il mourut en 2003.

La Dame au parapluie.

Devant le parc, antichambre du Passeig Lluís Companys (avec des édifices illustres : le **Palais de Justice** par exemple), se dresse l'**Arc de Triomphe**, construit en même temps que la Ciutadella. Il est réalisé en briques et ses reliefs représentent des scènes faisant allusion à l'essor de l'industrie et du commerce de l'époque. Un écusson royal couronne chaque façade principale et celui de Barcelone est l'axe d'un groupe d'emblèmes des provinces espagnoles.

Arc de Triomphe.

Vue aérienne de la Maison Serra, aujourd'hui le siège du Diputació de Barcelone.

Passeig de Gràcia, empreinte du modernisme

La **Place de Catalunya**, centre névralgique de la ville, donne naissance à deux des promenades les plus aimées des barcelonais. La **Rambla de Catalunya** et le **Passeig de Gràcia**. Ces deux allées rassemblent quelques-unes des meilleures représentations de l'architecture moderniste et créent une ambiance qui plaît profondément à la ville et l'identifie.

Cette rambla est la prolongation vers la montagne des traditionnelles Ramblas. Elle est bordée de maisons de haute couture, de bijouteries et de nombreuses terrasses de bars et de cafétérias. Parmi les édifices singuliers nous pourrons y admirer la **Farmàcia J. de Bolós**, moderniste ou la **maison Serra**, siège de la **Diputació de Barcelone**, construction du début du XXème siècle signée par l'architecte Josep Puig i Cadafalch.

Tout près, nous trouverons la **Fondation Antoni Tàpies**, installée au siège de l'ancienne maison d'édition Montaner i Simó, de style moderniste. Cette fondation fut créée par l'auteur lui-même en 1984 afin de promouvoir l'étude de l'art moderne et servir de cadre à sa

Rambla de Catalunya.

Fondation Antoni Tàpies.

Maison Amatller et Maison Batlló.

collection. La façade sert de support à une sculpture en fer intitulée « Núvol i Cadira » (Nuage et chaise). L'artiste sut ainsi pallier les différences de niveau entre le toit de la fondation et celui des maisons voisines.

Au **Passeig de Gràcia** nous serons attirés par la **Mançana de la Discòrdia** (Pâté de maison de la discorde). Il s'agit d'une série de maisons aux façades représentant des styles architecturaux différents. Nous y verrons la **maison Lleó Morera**, construite par Domènech i Montaner en 1905. La façade est riche

en sculptures et couronnée par un petit temple qui fut détruit durant la Guerre civile espagnole et restauré par Oscar Tusquets et Carles Díaz durant les années 80. Les vitraux, les mosaïques, le pavé et tous les éléments décoratifs donnent un large aperçu du style floral moderniste. Dans ce secteur artistique, l'exemple le plus ancien est représenté par la **maison Amatller**, construite par Puig i Cadafalch en 1890 sur une construction antérieure. Sa façade est polychrome, couronnée par un toit en espalier qui rappelle l'architecture flamande alors que tout le reste de la façade a un air néo-gothique. Dans le vestibule, des reliefs représentent des allégories des beaux arts et un Saint Georges attaquant le dragon. L'ensemble fut déclaré Monument historico-artistique d'intérêt national en 1976.

Nous nous trouverons ensuite devant la **maison Batlló**, construction qui fut rénovée par Gaudí à la demande de l'industriel Josep Batlló. Elle est facilement reconnaissable avec ses balcons sculptés qui surprennent avec leurs formes ondulées. Elle doit sa couleur à la disposition calculée des céramiques et des morceaux de verre aux nuances curieuses. Le toit, forte-

ment incliné, cache une mansarde et est présidé par une tour qui proclame, en lettres dorées, l'anagramme de « Jésus, Marie et Joseph » et une croix à quatre bras. C'est aussi un Monument historico-artistique d'intérêt national.

C'est aussi au Passeig de Gràcia que nous pourrons admirer un des chef d'oeuvres d'Antoni Gaudí qui rompit toutes les conceptions architecturales conventionnelles et qui marqua profondément la personnalité de l'artiste. Nous parlons bien sûr de la **maison Milà**, populairement connue sous le nom de **La Pedrera**. Elle fut construite entre 1905 et 1910. Sa façade est

Maison Lleó Morera.

Maison Milà, « la Pedrera ».

un excellent exposant de la capacité de création de l'artiste. Les fers forgés, qui contrastent avec la pierre, proviennent de Vilafranca del Penedès. Les courbes ondulantes de la façade sont formées par des pierres autoportantes qui sont connectées au reste de la structure à travers de petites poutres courbées qui donnent à l'ensemble un air de légèreté et de mouvement. L'intérieur de l'édifice est semé de petites cours de ventilation. Il n'y a pas d'escalier commun et l'accès aux appartements se réalise donc à travers l'ascenseur ou l'escalier de service. Mais c'est sur la terrasse que nous trouverons les représentations les plus insolites : cheminées et petites tours de ventilation recouvertes de marbre blanc, de briques crépies ou de culs de bouteille, avec des formes abstraites qui rappellent les expressions surréalistes. Les entrevous adoptent plusieurs formes de la faune et la flore marines. En 1969, la maison fut déclarée Monument historico-artistique d'intérêt national et en 1984 l'UNESCO l'intégra dans son catalogue de Bien culturel du patrimonie mondial. En 1986, l'édifice fut restauré par la Fondation de la Caixa de Catalunya, qui y possède son siège, en réhabilitant l'éta-

ge noble en salle d'expositions temporaires et les combles en un espace consacré à l'œuvre de Gaudí, « **l'Espai Gaudí** ».

Sur la Diagonal, nous nous rendrons à la **maison de les Punxes** (des pointes), connue sous ce nom à cause des aiguilles qui couronnent ses tours et qui lui donnent un certain air nordique. C'est une construction de l'architecte Puig i Cadafalch qui réalisa ces trois blocs en 1903. Le bâtiment a six façades décorées d'éléments du gothique nordique qui cohabitent avec le plateresque espagnol.

Maison de les Punxes.

Palais de la Musique Catalane : salle de concerts. De forme ovale, elle possède une capacité de 2.000 spectateurs ; on peut y noter la lucarne centrale, magnifique verrière conçue comme une coupole inversée et l'ensemble des sculptures de muses de la scène.

Le Palau de la Música Catalana, siège culturel citadin

C'est une construction moderniste réalisée entre 1905 et 1908 et le point culminant de la trajectoire de Domènech i Montaner. Le palais fut construit afin d'accueillir les concerts de l'Orfeó

Palais de la Musique Catalane : groupe de sculptures qui préside la façade, œuvre de Miquel Blay. Elles représentent Sant Jordi avec une armure et en position de bataille, des personnages quotidiens et une jeune fille figurant l'allégorie de la musique catalane.

Català, chorale fondée à la fin du XIXème siècle par Lluis Millet et Amadeu Vives et d'une importance capitale pour l'expansion de la musique catalane. Le palais fut tout de suite adopté par la ville qui en fit le centre habituel de l'expression de la culture autochtone. Il est intéressant, au point de vue architectural, de voir comment ce grand édifice a pu s'accommoder dans ce filet de ruelles. Le groupe sculptural qui se trouve à la hauteur de l'angle du premier étage représente saint Georges revêtu de son armure, en position de combat, entouré de personnages quotidiens et d'une demoiselle personnifiant la musique. Cette pièce est considérée d'une importance vitale dans la sculpture réaliste catalane. A l'intérieur, des colonnes et des sols de marbre, d'énormes perrons, une décoration riche, de larges baies aux vitraux multicolores, des céramiques, une magnifique claire-voie centrale, un orgue impressionnant sur la scène ... Un grand nombre d'artistes et d'artisans participa à la réalisation de ce chef d'oeuvre ce qui explique la richesse de la décoration et sa grande harmonie. Le Palau de la Música Catalana reçut en 1909 le prix au Meilleur édifice de l'année donné par la Mairie de Barcelone et, en 1997, il était declaré Patrimoine de l'Humanité par l'UNESCO.

Détails de l'ornementation du Palau de la Música Catalana.

Palais de Pedralbes.

Pedralbes et le Tibidabo, la zone haute de la ville

Le **palais de Pedralbes** fut construit en 1921 par Bona i Puig et De Paula Nebot sur des terrains de la famille Güell. Il devait servir de résidence au roi Alphonse XIII bien que celui-ci ne l'occupa jamais à cause des événements de l'histoire espagnole. Il fut déclaré Monument historico-artistique d'intérêt national en 1931 et passa aux mains de la Mairie de Barcelone. Il est ouvert au public depuis 1960 et accueille dans ses salles le **Musée de Céramique**, un des plus importants de l'Etat, avec des objects du XIIème siècle. Sur l'Avenue de Pedralbes, remarquons les **Pavillons Güell**, oeuvre de Gaudí dont on peut encore voir les portes, les murs et les pavillons d'entrée à ce petit palais.

Pavillons Güell : dragon de la porte d'entrée.

Le **Monastère de Pedralbes** est un beau joyau harmonieux du XIVème siècle dans lequel se trouve un musée comprenant des réalisations et des meubles du XVIème siècle. L'ensemble fut déclaré d'Intérêt national en 1931.

Toute la zone est dominée par la montagne du **Tibidabo** avec son parc d'attractions centenaire.

Pavillons Güell.

Temple du Sacré Cœur, sur le Tibidabo.

Monastère de Pedralbes.

Escalier central du Parc Güell.

Trois aspects du Parc Güell.

Parc Güell et Sagrada Familia, rêves de Gaudí

Eusebi Güell fut à l'origine de ce projet et il chargea Gaudí de sa réalisation. Il s'agissait de créer une ville-jardin de style anglais qui puisse accueillir 60 pavillons. L'idée n'eut pas le succès prévu et on ne construisit finalement que deux maisons. Gaudí vécut dans l'une d'elles. La fantaisie de l'artiste universel lui permit de créer un espace architectural en parfaite communion avec la nature.

Près de l'entrée principale on peut voir de larges escaliers avec des jeux d'eau et des sculptures, en particulier un dragon multicolore recouvert de mosaïques et qui est devenu, malgré sa petite taille, un des éléments les plus caractéristiques avec la salle des cent colonnes (qui n'en compte que 84) qui soutiennent la grande place ondulée et décorée de balcons revêtus de mosaïques.

La **Sagrada Familia** est l'un des monuments les plus emblématiques et visités de Barcelone. Gaudí dirigea les travaux à partir de 1883. Il voulait faire de cette église la grande cathédrale moderne de la ville. C'est dans ce but qu'il dessina un complexe système de symboles de la foi chrétienne représentés à travers cet ensemble architectural. Le projet comprenait cinq nefs avec transept et abside et un déambulatoire extérieur. Dix-huit grandes tours parabo-

Façade de la Naissance.

liques devaient symboliser les douze apôtres, les quatre évangélistes, la Vierge et Jésus-Christ (celle-ci devait être plus haute que toutes les autres). Les clochers ou aiguilles, légèrement bombés et avec des escaliers intérieurs en colimaçon, sont décorés de légendes gravées qui se répètent aussi bien horizontalement que verticalement. Les pinacles, conception surréaliste de Gaudí, sont recouverts de mosaïques et de verres multicolores et achevés par une croix spectaculaire.

On peut voir les plans réalisés par Gaudí et les maquettes du projet au **musée de la Sagrada Familia** qui se trouve sous les 4 tours de la façade de la Passion.

Extrémité d'un clocher.

Ensemble de colonnes et voûtes latérales en phase de construction.

Crypte de la Sagrada Familia.

Façade de la Passion.

Avenue de Gaudí.

L'Avenue de Gaudí relie la Sagrada Familia et l'**hôpital de la Santa Creu i Sant Pau** qui occupe l'espace équivalant à neuf pâtés de maisons. Il fut réalisé par Lluís Domènech i Montaner qui voulait protester ainsi contre le rectiligne Plan Cerdà et orienta l'hôpital en diagonale par rapport au quadrillage urbain de l' « Eixample ». Il est composé de pavillons spécialisés qui se relient entre eux à travers des galeries souterraines car l'extérieur est un grand jardin.

Hôpital de la Santa Creu i Sant Pau.

Monument à la Sardane, à Montjuïc.

Montjüic et le site olympique

La montagne de Montjuïc est, avec celle du Tibidabo, l'une des deux collines qui surplombent Barcelone. Tout au long de la montagne se succèdent des points d'une nature très variée, qui méritent une longue visite ; la plupart de ces points datent de deux événements de renommée mondiale : d'une part, l'Exposition Universelle de 1929, ayant donné lieu à l'urbanisation de la montagne, et, d'autre part, la célébration des Jeux Olympiques de 1992, l'ayant fait culminer. Fruits de ce premier événement, nous trouvons le **Palais National**, le **Poble Espanyol**, la « **Fontaine Magique** » et le **Pavillon Mies van der Rohe** (œuvre ayant été qualifiée de « paradigme de l'architecture moderne » par les experts). Nés du second événement, nous trouvons les différentes constructions de le **site olympique**. Mais Montjuïc est aussi le siège d'un bon nombre de musées, de même que de jardins soignés, parmi lesquels se trouvent notamment les **Jardins de Costa i Llobera**, les **Jardins de Mossèn Cinto Verdaguer** et l'**Institut - Jardin Botanique**, spécialisé dans la flore des cinq régions du monde au climat méditerranéen.

Le **Château de Montjüic** est une construction de la seconde moitié du XVIIIème siècle dont les antécédents se trouvent

Château de Montjuïc.

La Fondation Miró.

dans un autre château construit en 30 jours durant la guerre des « segadors » (faucheurs), en 1640. Entre ses murs se trouve le **musée Militaire**.

La **Fondation Miró** se trouve aussi sur cette colline. Il s'agit d'une construction rationaliste d'un seul étage, réalisée durant les années 70 par Josep Lluís Sert, ami de Miró. Elle vit autour d'une cour intérieure, avec plusieurs salles qui reçoivent la lumière du soleil. Créée par Miró lui-même en 1971 la fondation a une double activité car son rôle est d'étudier et de diffuser l'oeuvre de l'auteur.

Le **CaixaForum**, un grand centre culturel installé dans l'ancienne usine moderniste Casa Ramona, œuvre de Puig i Cadafalch de 1908, situé au début de la avenida Marqués de Comillas, est plus récent. Depuis son inauguration en 2002, il s'est transformé en l'un des centres d'art les plus visités de la ville. Ses salles accueillent la collection d'art contemporain de la Fondation La Caixa, qui gère le centre, ainsi que des expositions temporaires à renommée internationale.

Sur l'Avenue de l'Estadi nous trouverons l'ensemble connu sous le nom d'**Anella Olímpica (site olympique)** qui englobe toutes les constructions réalisées ou remaniées à l'occasion de la célébration

Le centre culturel CaixaForum.

Stade Olympique et Palau Sant Jordi.

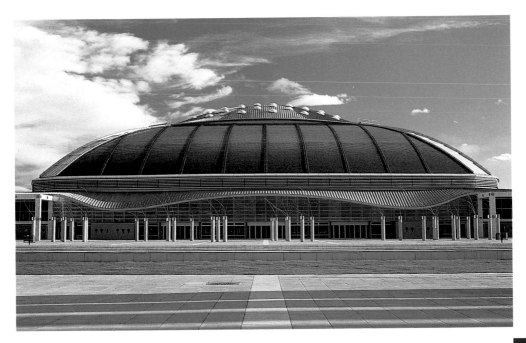

« Poble Espanyol » : Tours d'Avila.

Pavillon Mies van der Rohe.

54

des Jeux Olympiques de 1992. Nous y verrons le **Stade olympique**, le **Palau Sant Jordi**, qui peut recevoir 17 000 spectateurs et réalisé avec une technologie de pointe (en particulier sa couverture) appliquée par l'architecte japonais Arata Isozaki.

Le **Poble Espanyol** (village espagnol), héritage de l'Exposition Universelle de 1929, voulait être une synthèse de l'Espagne monumentale et regroupe, sous la forme pittoresque d'un village, des fidèles reproductions des architectures d'Espagne. Signalons, par exemple, les murailles d'Avila qui entourent l'enceinte.

C'est cependant le **Palais National** qui retiendra le plus notre attention à Montjüic. Il fut aussi construit en 1929, monumentaliste et éclectique, couronné par une coupole majestueuse et avec deux coupoles plus petites aux extrêmes et 4 tours compostellaines.

Le palais est le siège du **Musée national d'art de Catalogne (MNAC)**. On peut y admirer des collections d'art roman, gothique, renaissance et baroque d'une très grande valeur. Deux nouvelles collections sont venues récemment rejoindre les autres. En 2004, le Musée reçut l'extraordinaire collection de l'essentiel de la production des artistes catalans du début du XIXe siècle au milieu du XXe qui se trouvait jusqu'alors au Musée d'art moderne, au Parc de la Ciutadella. En 2005 se fut le tour de la Collection Thyssen-Bornemisza (antérieurement au Palais de Pedrables) avec

MNAC : Salle ovale. © Musée National d'Art de Catalogne (MNAC), Barcelone.

« La Vicaría » (1870), oeuvre de Marià Fortuny. © Musée National d'Art de Catalogne (MNAC), Barcelone.

des œuvres de Fra Angelico, le Titien, Ceruti, Canaletto et Rubens.

Près du Palais National, en descendant le Passeig de l'Exposició, entre deux musées aussi intéressants que celui d'**Ethnologie** et celui d'**Archéologie**, nous arriverons au **Théâtre Grec**, un amphithéâtre classique, construit suivant le modèle de celui d'Epidaure, caché au milieu de la végétation. Bien qu'il fût très peu utilisé après sa construction, en 1929, il a retrouvé sa puissance culturelle au cours des dernières décennies. Il accueille aujourd'hui plusieurs spectacles importants.

La montagne est décorée par la fontaine lumineuse de Montjuïc, la « **Font**

Théâtre Grec

Màgica » (Fontaine magique). Derrière, le parc des expositions de la **Fira de Barcelona** et, au fond, la **Plaça d'Espanya** et **les Arenes**.

Avenue Reina Maria Cristina. Au fond, le Tibidabo.

La Rambla de Mar et le Maremàgnum.

La ville qui regarde la mer

Les nouvelles infractructures créées à partir des Jeux Olympiques de 1992 ont permis à Barcelone de récupérer, enfin, sa façade maritime. Durant la révolution industrielle, de nombreuses usines s'installèrent au port de Barcelone. Mais nous pouvons voir aujourd'hui une ville ouverte sur la mer.

Le port de Barcelone – divisé en Port Vell et Port Nou – a été profondément remanié dernièrement et aménagé avec des techniques de pointe. Il y a peu d'endroits de la Méditerranée qui soient aussi séduisants que le Port Vell. C'est là que nous trouverons le **Maremagnum**, un centre commercial avec des cinémas, des restaurants, des salles de jeux, qui ouvrit ses portes en un endroit privilégié, sur la Méditerranée. Nous y arriverons à travers la **Rambla del Mar**, une passerelle piétonnière, moderne, en bois qui relie la statue de Colomb et la Rambla au Maremagnum. Il s'agit d'une plate-forme de 39 000 mètres carrés qui concentre le centre commercial le plus moderne de la ville : bars, terrasses, grandes zones commerciales, petits commerces, restaurants, un mini-golf. N'oublions pas non plus les Cinémas Maremagnum. L'**Aquarium de Barcelone** se trouve aussi au Port Vell. C'est le plus grand aquarium d'Europe et le plus important du monde en thème méditerranéen. Un tunnel transparent de 80 mètres passe sous l'immense océanorium circulaire qui est habité par plus

Cinéma IMAX.

Aquarium de Barcelone.

de 4 000 exemplaires. Nous y admirerons les spectaculaires requins. À proximité de l'Aquarium se trouve l'**Imax**, salle qui combine trois systèmes de projection de grand format : Imax, Omnimax et 3D. L'offre culturelle est complétée par la visite du **Musée d'Histoire de la Catalogne,** situé dans le **Palau de Mar,** dans l'emblématique quartier de la Barceloneta.

De l'autre côté du Maremàgnum, il est possible de voir le nouveau bâtiment du centre d'affaires **World Trade Center**, et un peu plus au sud, un grand pont basculant, appelé **Porte de l'Europe**, inauguré en 2001.

Port Vell : Palau de Mar.

Le pont-levis dit Porte d'Europe.

World Trade Center.

La Tour Mapfre et l'Hôtel Arts.

La Tour Agbar.

En continuant en direction de Poble Nou, se trouve la **Ville Olympique**, un nouveau quartier créé à l'occasion des Jeux Olympiques de 1992 qui comprend le **Port Olympique**, surplombé par deux hautes tours : l'**Hôtel Arts** et la **Tour Mapfre**. Leur hauteur, environ 150 mètres est similaire à celle de la nouvelle **Tour Agbar** (2003), à côté de la plaza de las Glorias Catalanas, et uniquement dominée dans la ville par la **Tour des Communications de Collserola**, sur une des pentes du Tibidabo. Après le quartier de Poble Nou, la façade maritime de Barcelone est complétée par l'enceinte du **Forum**, scène principale du rendez-vous culturel international du Forum Barcelona 2004. Ce sont 30 hectares totalement rénovés qui ont donné lieu à l'un des ensembles lu-

diques les plus grands du monde. Parmi les nouvelles constructions, il faut noter le **Bâtiment du Forum**, de forme triangulaire, le **Centre de Conventions**, d'une capacité de 26 000 personnes, et un nouveau port de plaisance.

Le Bâtiment du Forum.

INDEX

EDITORIAL FISA ESCUDO DE ORO, S.A.
I.S.B.N. 978-84-378-1638-8
Imprimé en Espagne
Dépôt Légal B. 24165-2009